Cet ouvrage
a été imprimé
sur un papier issu
de forêts gérées
durablement,
de sources contrôlées.

PEFC™
10-31-1421

ISBN 978-2-7002-4844-9

L'école d'Agathe

Pakita | J.-P. Chabot

Lucas
le meilleur en tout

RAGEOT

Vous connaissez Lucas ?

Il serait gentil s'il n'était pas vraiment **trop prétentieux.**

Il dit toujours :

– **Moi** je sais! **Moi** je suis **le plus
fort**! **Moi** je suis **le meilleur**!

Si on écoute Lucas, on croit
qu'il sait tout, qu'il a tout vu,
qu'il est **le meilleur** en tout!

On pense qu'il est le plus tout
en tout, voilà tout!

Je vous donne un exemple.

Ce matin, Paul lui a dit :

– Hier, j'ai lavé tout seul la voiture de mon père.

Lucas lui a répondu :

– Pfff, une voiture, c'est rien ! Moi, dimanche, j'ai lavé le camion de mon père et il est ÉNORME !

Deux minutes après, Zoé était en train de me raconter :

– Tu sais Agathe, pendant les prochaines vacances, je vais à la mer avec mes parents.

Lucas lui a demandé :

– À la mer de **France** ?

– Oui ! a dit Zoé.

– Pfff ! C'est nul, la mer de France ! Moi, je vais à la mer d'**Espagne,** c'est mille fois mieux !

Trois minutes après, Aziz montrait à Coralie un nouveau dessin qu'il avait fait.

Lucas s'est approché.

– Pfff ! Trop facile ! Moi, à la maison, je fais des peintures IMMENSES !

– Montre-les-nous !

– Impossible ! Je ne peux pas les transporter, elles sont TROP GRANDES !

(Ce midi) on jouait au personnage mystérieux. Vous savez y jouer?

C'est facile! Il y en a un qui choisit un personnage, mais attention, il le garde dans sa tête. Et les autres lui posent des questions.

– Est-ce que c'est un personnage de dessin animé comme Yu-Gi-Oh?

– Est-ce que c'est un footballeur comme **Zidane**? Ou un animal comme **Milou**?

C'est Léonard qui a deviné le personnage que j'avais choisi dans ma tête.

– **Cruella !**

– Bravo Léonard ! j'ai crié.

– Pfff ! a dit Lucas. *Moi,* je l'avais trouvé **avant** lui !

– Pourquoi tu ne l'as pas dit ? j'ai demandé.

– Il faut bien que je vous laisse un peu gagner ! N'importe quoi !

Il se vante et en plus il a toujours une bonne excuse ! C'est comme ça toute la journée !

Lucas nous énerve tellement qu'on l'appelle **monsieur Pfff** parce qu'il dit toujours « pfff » en faisant une drôle de grimace et aussi **monsieur Moi Moi Moi !** Et on ouvre très grand la bouche pour dire le son « **oi** ».

On était tellement dégoûtés qu'on est partis jouer loin de lui.

Et là, Louise a dit :

– Il faudrait trouver une façon de lui donner vraiment la honte ! Comme ça il arrêterait de dire qu'il est **le meilleur** en tout !

– Tu as raison, Louise ! on a répondu. Le premier qui a une idée en parle aux autres !

Et on a commencé à chercher.

Pendant la cantine, Mathieu a proposé :

– On n'a qu'à enfermer Lucas dans les toilettes !

– C'est nul, j'ai dit. Il va **crier** et c'est nous qui serons punis. En plus, il ne comprendra pas pourquoi on a fait ça et il ne changera jamais !

– Il faudrait plutôt lui donner quelque chose de très difficile à faire, a ajouté Zoé. Lucas se **vantera** mais il n'y arrivera pas. Alors on se moquera de lui !

– Tu parles ! Si on lui demande par exemple de grimper au tilleul, il dira qu'il ne veut pas réveiller les oiseaux. Il a toujours des bonnes excuses ! a dit Mamadou.

On n'avait toujours pas trouvé d'idée quand on est remontés en classe.

À cause de Lucas, on n'avait même pas joué ! Et on avait tellement réfléchi qu'on était tous fatigués et énervés.

Enfin, quand je dis tous, vous devinez qui ne l'était pas !

La maîtresse s'en est rendu compte. Elle s'est fâchée.

Qu'est-ce que c'est que cette classe qui n'écoute rien ?

Alors Lucas a levé le doigt.

Moi, maîtresse, j'ai tout bien écouté.

Et la maîtresse lui a souri ! Nous, on ne pouvait pas écouter, on pensait à la punition qu'on allait inventer pour lui ! Mais c'est très dur de trouver des idées méchantes !

Hier matin, Chloé est arrivée à l'école en courant comme une folle. Elle rigolait toute seule.

— C'est **trop super** ! Je suis sûre que ça va marcher !

— Quoi ? Quoi ? Qu'est-ce qui va marcher ? on lui a demandé.

— Vite, venez autour de moi, je vais vous raconter !

L'idée de Chloé était géniale ! Mais avant, il fallait vérifier quelque chose de très important…

À la récré, on a appelé Lucas.

– Dis donc Lucas, a commencé Chloé, toi qui vas à la mer en **Espagne,** est-ce que tu sais parler **espagnol?**

– Pfff ! Bien sûr ! a répondu Lucas.

Tu peux vraiment nous parler en espagnol ?

Pfff ! Évidemment !

Eh bien dis-nous des phrases...

Pfff ! Ce n'est pas la peine ! Vous ne comprendriez rien !

On était sûrs qu'il allait nous répondre ça !

Alors à la sortie, on a exécuté notre plan. On a attendu Lucas.

– Lucas, viens vite, on a besoin de toi ! a crié Chloé.

– Comme d'habitude ! s'est **vanté** Lucas en prenant son air prétentieux. Bon dites-moi, qu'est-ce que je peux **encore** faire pour vous ?

– Lucas, je te présente Eva, ma grande sœur.

Chloé a ajouté :

– Et voilà sa correspondante **espagnole**, Paloma. Elle vient d'arriver à la maison. Elle va rester chez nous pendant une semaine.

– Chloé m'a dit que tu parlais l'**espagnol**, a continué Eva. Ça tombe bien ! Moi, je le parle très mal, je n'ai que des mauvaises notes !

On regardait Lucas. Il ne disait rien mais c'est sûr, il avait perdu son petit air fier !

Eva lui a demandé :

– S'il te plaît Lucas, est-ce que tu pourrais dire à Paloma de ma part que je suis très contente qu'elle soit à la maison et que, même si je suis nulle en **espagnol**, on pourra dessiner ou faire des gestes pour se comprendre.

– **Euh...** a commencé
Lucas, c'est une phrase
très longue !

– Alors dis-lui
au moins que je
suis contente de la
recevoir !

– **Euh...** c'est que...
je suis meilleur en anglais !

Lucas est devenu tout rouge,
puis il a baissé la tête.

– **Euh...** Pardon, j'ai menti.
Je ne parle pas anglais,
ni **espagnol,** et je ne
sais pas peindre... et
aussi... mon père
n'a pas de
camion
énorme.

On s'est regardés. Finalement, cette punition n'était pas drôle !

Zizette a dit :

– Tu sais, Lucas, nous on t'aime bien même si tu n'es pas le **meilleur en tout.**

– Et on te préfère si tu ne nous mens pas et si tu ne te vantes pas, a ajouté Guillaume.

– C'est vrai ? a demandé Lucas.

Et il a réfléchi avant d'ajouter :

– Oui, mais moi je veux être comme mon papa ! Il dit toujours à ses amis :

Je vous présente mon fiston, c'est le premier en tout. Quand il sera grand, il sera aussi fort que son papa, hein mon fils ?

Alors on a sauté sur Lucas en rigolant.

– Pfff, Lucas ! On a bien le temps d'être grands. Pour l'instant on est des enfants !

Oh là là, il est tard !

On a décidé que demain, à la récré, on ferait une maxi balle aux prisonniers tous ensemble et Lucas a juste dit :

– Super bonne idée !

C'est sûr, on ne l'appellera plus jamais monsieur Pfff ou monsieur Moi Moi Moi !

Allez bonne nuit, Vous, Vous, Vous !

L'auteur

Pakita aime tous les enfants ! Les petits, les gros, les grands, avec des yeux bleus, verts ou jaunes, avec la peau noire, rouge, orange, qui marchent ou qui roulent, et même ceux qui bêtisent !

Pour eux, elle se transforme en fée rousse à lunettes, elle joue, elle chante, elle écrit des histoires et des chansons pour les CD, les livres ou pour le dessin animé.

L'illustrateur

Jean-Philippe Chabot est né à Chartres en 1966. Avant d'entrer à l'école il dessinait déjà. À l'école, il dessinait encore. Puis il a choisi de faire des études de... dessin. Et maintenant, son travail c'est illustrer des albums et des romans.

Il est très heureux de dessiner tous les jours et parfois même la nuit mais toujours en musique.

L'école d'Agathe

32 pages - 5,20 €

n° 1

n° 2

n° 3

n° 4

n° 5

n° 6

n° 7

n° 8

n° 9

n° 10

n° 13

n° 14

n° 16

n° 18

n° 19

64 pages - 7,10 €

n° 11

n° 12

n° 20

L'école d'Agathe

Toute la série
L'école d'Agathe
sur www.rageot.fr

RAGEOT s'engage pour l'environnement en réduisant l'empreinte carbone de ses livres. Celle de cet exemplaire est de :
163 g éq. CO_2
Rendez-vous sur
www.rageot-durable.fr

PAPIER À BASE DE
FIBRES CERTIFIÉES

Achevé d'imprimer en France en juillet 2014
sur les presses de Loire Offset Titoulet
Dépôt légal : août 2014
N° d'édition : 6166 - 01